헨리와 머지

그리고 사나운 바람

글 신시아 라일런트 | 그림 수시 스티븐슨

Contents

본 워크북에 담긴 한국어 번역의 페이지는 영어 원서의 페이지와 최대한 동일하게
유지했습니다.
영어 원서를 읽다가 이해가 가지 않는 부분이 있다면, 워크북의 같은 페이지를 펼쳐
보세요! 궁금한 부분의 번역을 쉽게 확인할 수 있습니다.

영어 원서를 내용상 총 여섯 개의 파트로 나누어, 각 파트별로 다양한 액티비티를 담
았습니다. 재미있게 영어 원서를 읽고 액티비티를 풀어 나가다 보면 영어 실력도 쑥
쑥 향상될 것입니다!

부록으로 제공되는 MP3 CD에는 '듣기 훈련용 오디오북'과 '따라 읽기용 오디오북'의
두 가지 오디오북이 담겨 있습니다.
'듣기 훈련용 오디오북'은 미국 현지에서 제작되어 영어 원어민들을 대상으로 판매
중인 오디오북과 완전히 동일한 것입니다.
'따라 읽기용 오디오북'은 국내 영어 학습자들을 위해서 조금 더 천천히 녹음한 것으
로 '듣기 훈련용 오디오북'의 빠른 속도가 어렵게 느껴지는 초보 학습자들에게 유용
할 것입니다.

강한 바람

헨리와 헨리의 큰 개 머지는

어느 더운 여름날

밖에서 놀고 있었다. 갑자기 바람이

굉장히 세게 불어서

헨리의 모자를 날려 버렸다.

"우와." 헨리가 말했다. "꽤 강한 바람이네."

쉭!

머지의 털이 잔물결을 이루며 일렁였다.

녀석의 귀가 펄럭거렸다.

녀석의 눈이 완전히 젖어 들었다.

"뇌우가 오는 게 틀림없어."

헨리가 말했다. "오-이런."

헨리는 뇌우를 좋아하지 않았다.

그것들은 그를 조마조마하게 했다.

하지만 그것들은 머지를 훨씬 더 조마조마하게 했다.

매번 폭풍이 올 때마다,
머지는 이상한 행동들을 했다.

녀석은 낑낑거렸다.
녀석은 백 번 정도
부엌 식탁 주위를 걸어다녔다.

녀석은 화장실에 혼자 앉아 있었다.

녀석은 소파 쿠션들 사이에

자기 머리를 묻었다.

헨리가 조마조마해서 하는 유일한 행동은
휘파람을 많이 부는 것이었다.
번개가 굉음을 내고
천둥이 쾅 하는 소리를 내면
헨리는 휘파람을 불곤 했다.

헨리는 "징글벨"을 휘파람으로 불었다.

헨리는 "생일 축하합니다"를 휘파람으로 불었다.

헨리는 심지어 "성조기여 영원하라"를

휘파람으로 불었다(잘 하진 못했지만).

헨리는 거센 바람이 시작되면
무엇을 해야 할지 알았다.
"이리 와, 머지." 그는 말하면서
집으로 향했다.
갑자기 바람이 불어서
망으로 된 문을 열었다.
쾅!

정신없이 휘파람을 불고 낑낑거리면서,

헨리와 머지는 집 안으로 달려갔다.

펑 하는 소리와 쾅 하는 소리

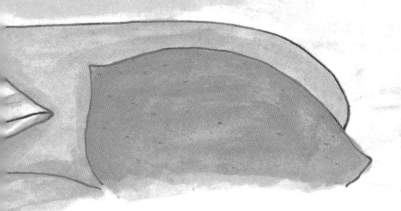

하늘이 아주 어두워졌다.

헨리의 엄마는 불을 켰다.

헨리의 아빠는 모든 창문을 닫았다.

헨리와 머지는 소파에 앉아서, 기다렸다.

철퍼덕! 철썩!

비가 내리기 시작했다.

그러더니 펑! 하고 번개가 쳤다.

쾅! 하고 천둥이 쳤다.

머지는 화장실에 앉아 있으려고 떠났다.

"머지!" 헨리가 불렀다.

머지는 돌아오지 않았다.

"겁쟁이." 헨리가 투덜거렸다.

그는 "징글벨"을 휘파람으로 불기 시작했지만,

그는 머지가 그리웠다.

헨리는 화장실 문으로 갔다.

그는 머지를 보았다.

머지가 그를 보았다.

펑! 하고 번개가 쳤다.

"이리 와, 머지." 헨리가 말했다.

"부엌으로 가자."

머지가 자기 꼬리를 살짝 흔들었다.

녀석은 헨리를 따라 부엌으로 갔다.

헨리의 엄마와 헨리의 아빠는

식탁에서 차를 마시고 있었다.

쾅!

머지가 원을 그리며

식탁 주위를 걷기 시작했다.

헨리는 휘파람을 불기 시작했다.

"코코아 좀 마실래?" 헨리의 엄마가 물었다.

"좋아요." 헨리가 말했다.

펑! 하고 번개가 쳤다.

헨리가 "성조기여 영원하라"를 휘파람으로 부는 동안

머지는 열 번째로

식탁 주위를 돌았다.

헨리의 아빠와 헨리의 엄마는
서로를 바라볼 뿐이었다.

적군의 소파

펑!

전깃불이 나갔다.

"오-이런." 헨리의 아빠가 말했다.

헨리는 "생일 축하합니다"로 바꿔서 불었고

머지는 소파에 자기 머리를 묻기 위해

거실로 갔다.

헨리의 엄마는 양초 몇 개를 꺼내 왔다.
헨리는 다섯 번째로 "생일 축하합니다"를
불기 시작했다.
"잠깐! 잠깐!" 헨리의 아빠가 말했다.

"네가 휘파람을 부는 것을 멈춰 보면 어떨까."

그가 헨리에게 말했다. "그리고 게임을 하는 거지."

쾅! 하고 천둥이 쳤다.

"어떤 종류의 게임이요?" 헨리가 물었다.

"음. . . 어디 보자." 헨리의 아빠가 말하면서,

빨리 생각해 내려고 했다.

"적진을 기어서 통과하기 게임은 어떠니?"

아빠가 말했다.

"머지는 적의 진영에 있는 포로야."

헨리의 아빠가 속삭였다.

"그리고 녀석을 구하는 게 네 임무지."

헨리가 거실 안을 보았다.

머지는 여전히 소파에 자기 머리를 묻고 있었다.

"네." 헨리가 말했다.

펑!

"적의 포격 소리가 들리니?" 헨리의 아빠가 말했다.

쾅!

"그리고 저 대포 소리도?"

헨리 아빠의 두 눈이 커졌다.

헨리는 고개를 끄덕였다.

그는 적진을 가로지를 준비가 되었다.

그는 적군의 소파에서

머지를 구할 준비가 되었다.

"손전등을 가져가는 것을 잊지 말렴."
헨리의 아빠가 말했다.
"그리고 전갈들을 조심해."
헨리는 전등을 꼭 움켜잡고
바닥에 엎드렸다.

그는 조금씩 조금씩, 기어가며,
적군의 부엌을 가로질렀다.
펑! 쾅!

그는 조금씩 조금씩, 기어가며,
적군의 식당을 가로질렀다.
쾅! 펑!

그는 적의 진영으로 곧장 기어갔다.

바로 그곳에 용감하게 기다리고 있는 포로이자,

그의 가장 친한 친구인 머지가,

녀석의 머리를 적군의 소파에 묻고 있었다.

"머지!" 헨리가 속삭였다.

그의 용감한 친구가 한쪽 귀를 들었다.

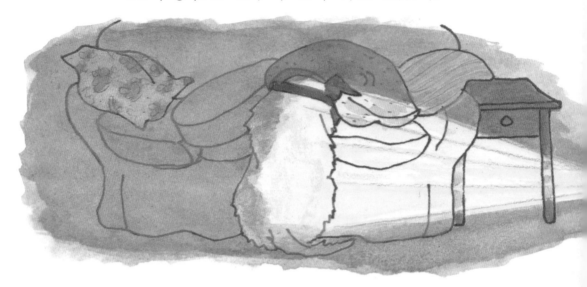

"머지!" 헨리가 더 크게 속삭였다.

그의 용감한 친구가 꼬리를 흔들었다.

"이리 와, 머지."

헨리가 기어가서 자신의 용감한 친구의

목걸이를 당겼다.

"넌 이제 자유야." 헨리가 말했다.

머지는 자유의 공기를 킁킁 냄새 맡았다.

머지는 자신의 구조원이 신은 양말을 킁킁 냄새 맡았다.

펑! 쾅!

머지는 화장실로 가는 빠른 길을 킁킁 냄새 맡으며 갔다.

헨리는 얼굴을 찌푸렸다.

그는 머지가 머무르기를 바랐었다.

"적어도 넌 전갈들을 피했잖니."

헨리의 아빠가 말했다.

헨리는 빙그레 웃었다.

"그리고 적어도 너에게 머지가 필요할 때

어디에서 녀석을 찾아야 하는지 알잖니!"

헨리의 아빠가 말했다.

"맞아요!" 헨리가 웃었다.

그들의 머리 위로

이후에 폭풍이 치는 동안,
헨리는 자신의 부모님과 함께
부엌 식탁에 앉아 있었다.
그들은 촛불 옆에서 카드 게임을 했다.

곧 그저 작은 펑 소리와

약한 쾅 소리만 들렸다.

그리고 나서 아무 소리도 들리지 않았다.

전깃불이 다시 들어왔다.

하늘이 맑아졌다.

그리고 머지는 마치 녀석이 크래커 공장에

다녀온 것처럼 꼬리를 흔들며,

화장실 밖으로 나왔다.

헨리와 머지는 다시 밖으로 나갔다.

그들은 신선한 공기의 냄새를 맡았다.

그들은 젖은 잎들을 만져 보았다.

그리고, 마치 그림처럼,

멋지고, 커다란 무지개가 떠서

그들의 머리 바로 위로

아름다운 색들을 펼쳤다.

Activities

영어 원서를 총 여섯 개의 파트로 나누어,
각 파트별로 다양한 액티비티를 담았습니다.

각 파트의 영어 원서 페이지는 롱테일북스에서 출간된
'롱테일 에디션'을 기준으로 합니다!
수입 원서와는 페이지 구성에 차이가 있으니 참고하세요.

VOCABULARY

놀다, (게임을) 하다

play

더운

hot

여름

summer

바람이 불다 (과거형 blew)

blow

모자

hat

털

fur

잔물결을 이루다

ripple

퍼덕이다 (과거형 flapped)

flap

젖은, 축축한

wet

뇌우

thunderstorm

조마조마한

jumpy

이상한, 낯선

strange

부엌

kitchen

화장실

bathroom

혼자

alone

소파

couch

휘파람을 불다

whistle

번개

lightning

43

VOCABULARY QUIZ

1 그림에 맞는 단어를 퍼즐에서 찾아 표시하고 단어를 써 보세요.

q	f	c	v	b	n	m	q	w	r	y
v	l	b	m	p	l	a	y	z	t	j
w	a	z	r	q	x	f	t	x	f	r
e	p	s	d	v	v	g	f	c	r	i
r	z	q	r	x	d	f	u	v	s	p
j	r	s	u	m	m	e	r	z	q	p
u	t	g	e	q	w	t	y	n	m	l
m	y	f	l	x	v	a	l	o	n	e
p	z	d	k	c	e	r	t	y	u	i
y	x	c	z	w	r	w	r	y	k	o	l
p	b	l	o	w	a	s	f	g	b	m

play

2 그림에 맞는 단어를 연결하고 빈칸에 알맞은 알파벳을 넣어 보세요.

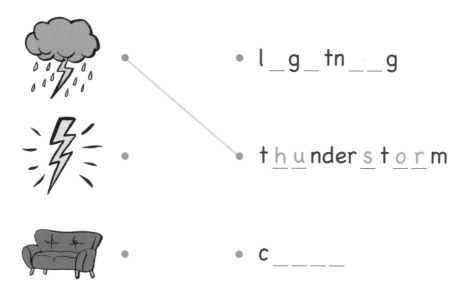

l _ g _ tn _ _ g

t h u nder s t o r m

c _ _ _ _ _

3 글자를 바르게 배열하여 단어를 완성해 보세요.

w l b o

blow

_____

t w e

_____

e s g t n r a

_____

k t i n e h c

_____

t h a

_____

m b t a h r o o

_____

o t h

_____

i w h s l t e

_____

WRAP-UP QUIZ

1 이야기의 순서에 맞게 그림을 배열해 보세요.

Henry and Mudge ran inside
when the wild wind started.

The wind blew Henry's hat
away.

Henry thought that a
thunderstorm was coming.

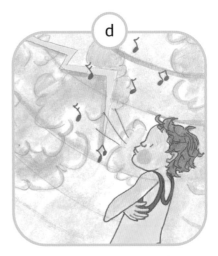

Henry would whistle when there
was thunder and lightning.

2 다음 질문에 알맞은 답을 선택해 보세요.

1) What did the wind blow away?

   a. Mudge's fur

   b. Henry's scarf

   c. Henry's hat

2) Why did Henry NOT like thunderstorms?

   a. They made him jumpy.

   b. They made him bored.

   c. They made him quiet.

3) Which of the following did Mudge NOT do when a storm came?

   a. He went under the bed.

   b. He sat in the bathroom alone.

   c. He put his head in the couch.

3 책의 내용과 일치하면 T, 그렇지 않으면 F를 적어 보세요.

1) Thunderstorms made Henry jumpier than Mudge.   _____

2) Every time a storm came, Mudge did strange things.   _____

3) Henry cried when he was jumpy.   _____

PATTERN DRILL

They made Mudge **even** jumpi**er**.
그것들은 머지를 훨씬 더 조마조마하게 했다.

폭풍이 오자 불안해진 헨리와 머지. 폭풍은 헨리보다 머지를 훨씬 더 조마조마하게
했어요. 이렇게 **"훨씬 더 ~한", "훨씬 더 ~하게"**라고 말하고 싶을 때가 있죠? 그럴
때는 상태나 특징을 나타내는 표현에 er을 붙여서 '더 ~한', '더 ~하게'라는 뜻의 단어
를 만들고, 그 앞에 '훨씬'이라는 뜻을 가진 even을 쓰면 돼요.

even + [상태/특징]er : 훨씬 더 ~한 / ~하게

You are **even** smart**er**.
너는 훨씬 더 똑똑하다.

I am **even** tall**er** than you.
나는 너보다 훨씬 더 키가 크다.

My sister was **even** strong**er** than me.
내 여동생은 나보다 훨씬 더 강인했다.

He played the piano **even** better.
그가 피아노를 훨씬 더 잘 쳤다.

* 'well(잘)'을 '더 잘'이라고 쓸 때는 'well + er'이 아니라 'better'라고 써야 해요.

우리말과 뜻이 통하도록 네모 안에 들어 있는 말을 바르게 배열해 보세요.

1. 줄이 평소보다 훨씬 더 길다.

is	than usual	the line	longer	even
~이다	평소보다	줄	더 긴	훨씬

The line is

2. 우리는 훨씬 더 열심히 공부했다.

we	even	studied	harder
우리	훨씬	공부했다	더 열심히

3. 그들은 훨씬 더 부유해졌다.

richer	they	even	became
더 부유한	그들	훨씬	~해졌다

4. 날씨가 어제보다 훨씬 더 춥다.

even	the weather	than yesterday	colder	is
훨씬	날씨	어제보다	더 추운	~이다

꼭 기억하세요

even과 같이 '훨씬'이라는 뜻으로 much 또는 a lot을 사용할 수도 있어요!

I am much taller than you.
나는 너보다 훨씬 더 키가 크다.

She is a lot better than yesterday.
그녀는 어제보다 훨씬 더 나아졌다.

49

VOCABULARY

하늘

sky

되다, 돌다; 차례

turn

어두운

dark

(불 등을) 켜다

turn on

전등

light

닫다; 닫힌 (과거형 shut)

shut

비; 비가 오다

rain

투덜거리다

grumble

흔들다 (과거형 wagged)

wag

꼬리

tail

따라가다

follow

차

tea

탁자, 식탁

table

걷다

walk

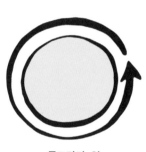

동그라미, 원

circle

코코아

cocoa

~을 보다

look at

서로

each other

VOCABULARY QUIZ

1 알파벳을 연결해서 단어를 만들고, 알맞은 그림과 연결해 보세요.

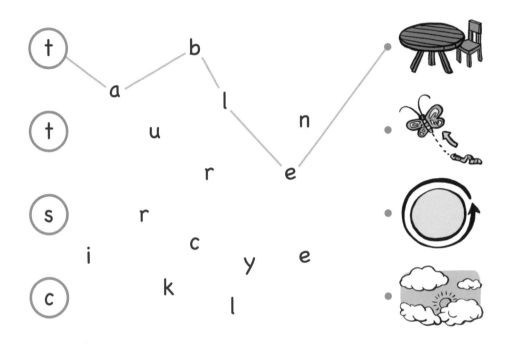

2 빈칸에 알맞은 알파벳을 넣어 단어를 완성해 보세요.

r a i n   _ a _ k   _ u _ n on   l _ _ k at

f _ ll _ _   each o _ h _ r   t _ _   _ _ lk

3 그림을 보고 알맞은 단어를 넣어 퍼즐을 완성해 보세요.

→ Across

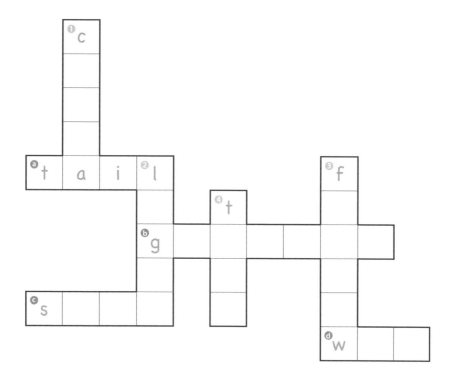

↓ Down

WRAP-UP QUIZ

1 이야기의 순서에 맞게 그림을 배열해 보세요.

Henry's parents prepared for the storm.

Henry's mother made Henry some cocoa.

Henry looked for Mudge in the bathroom.

Mudge circled the table a lot.

 ···▶ ···▶ ···▶

2 다음 질문에 알맞은 답을 선택해 보세요.

1) What did Mudge do when the lightning struck?

   a. Mudge stuck close to Henry.

   b. Mudge went into the bathroom.

   c. Mudge shed his fur.

2) What did Henry call Mudge when Mudge did not come back?

   a. Bear

   b. Cat

   c. Chicken

3) Which song did Henry whistle when his mother made him some cocoa?

   a. "The Star-Spangled Banner"

   b. "Happy Birthday"

   c. "Jingle Bells"

3 책의 내용과 일치하면 T, 그렇지 않으면 F를 적어 보세요.

1) The sky turned very bright. _____

2) Henry's mother turned on the lights. _____

3) Henry's parents had some coffee at the table. _____

PATTERN DRILL

Mudge went to sit in the bathroom.
머지는 화장실에 앉아 있으려고 떠났다.

천둥이 치자 겁이 난 머지는 화장실에 앉아 있으려고 가 버렸어요. 이렇게 **"~하러 가다"**라고 말할 때는 go to 다음에 동작을 나타내는 표현을 써요. **"~하러 갔다"**라고 지나간 일을 말할 때는 go가 went로 변하지만, to 다음에 오는 동작 표현은 원래 모습 그대로 써야 해요.

go to + [동작]: ~하러 가다

The kids go to sleep.
아이들은 자러 간다.

I go to visit my relatives.
나는 내 친척들을 방문하러 간다.

We went to play soccer.
우리는 축구를 하러 갔다.

He went to see a movie.
그는 영화를 보러 갔다.

우리말과 뜻이 통하도록 네모 안에 들어 있는 말을 바르게 배열해 보세요.

1. 내 어머니는 점심을 먹으러 갔다.

went to	have lunch	my mother
~하러 갔다	점심을 먹다	내 어머니

My mother went to

--- .

2. 그들은 아이스크림을 사러 간다.

they	buy	go to	ice cream
그들	사다	~하러 가다	아이스크림

--- .

3. 우리는 테니스 결승전을 보러 간다.

we	go to	the tennis final	see
우리	~하러 가다	테니스 결승전	보다

--- .

4. 그는 그의 아이들을 찾으러 갔다.

find	he	went to	his children
찾다	그	~하러 갔다	그의 아이들

--- .

5. 나는 내 은행 계좌를 개설하러 갔다.

open	went to	my bank account	I
개설하다	~하러 갔다	내 은행 계좌	나

--- .

VOCABULARY

전등

light

거실

living room

머리

head

소파

couch

초

candle

시작하다

start

다섯 번째의

fifth

차례

round

멈추다

stop

(게임을) 하다, 놀다

play

묻다

ask

기어가다

crawl

적

enemy

경계선 (enemy line 적진)

line

포로

prisoner

막사

camp

속삭이다; 속삭임

whisper

구조하다

rescue

VOCABULARY QUIZ

1 그림에 맞는 단어를 퍼즐에서 찾아 표시하고 단어를 써 보세요.

q	s	k	e	w	h	i	s	p	e	r
w	t	q	w	e	p	m	z	a	o	s
z	a	o	i	u	y	e	n	e	m	y
v	r	z	x	v	c	x	m	z	m	w
s	t	o	p	b	d	z	x	s	g	p
q	x	k	d	s	p	z	s	w	p	o
l	h	s	w	x	l	f	c	q	n	a
b	e	d	n	a	a	d	l	i	n	e
m	a	n	m	q	y	e	r	t	y	p
z	d	f	g	h	j	k	l	o	p	y
a	s	p	r	i	s	o	n	e	r	u

2 그림에 맞는 단어를 연결하고 빈칸에 알맞은 알파벳을 넣어 보세요.

 • • li _ _ _

 • • r _ sc _ _

 • • _ _ is _ er

3 글자를 바르게 배열하여 단어를 완성해 보세요.

c l a w r   c c u o h   d o r n u   t f i f h

_____   _____   _____   _____

n c a e l d   s k a   l i i v g n   p a m c

_____   _____   _____   _____
                                       room

WRAP-UP QUIZ

1 이야기의 순서에 맞게 그림을 배열해 보세요.

When the lights went out,
Mudge went out of the kitchen.

Henry's father came up with a
game for Henry.

Henry saw Mudge, imagining
that he was a prisoner.

Henry's mother brought out
some candles.

 ...▶ ...▶ ...▶

2 다음 질문에 알맞은 답을 선택해 보세요.

1) Which song did Henry whistle when the lights went out?

    a. "Happy Birthday"

    b. "Jingle Bells"

    c. "The Star-Spangled Banner"

2) What did Henry's father do to stop Henry from whistling?

    a. He played a card game with Henry.

    b. He told fun stories to Henry.

    c. He made up a game for Henry to play.

3) What had Mudge done when Henry looked in the living room?

    a. Mudge had gone into the bathroom.

    b. Mudge had put his head in the couch.

    c. Mudge had left the living room to sleep.

3 책의 내용과 일치하면 **T**, 그렇지 않으면 **F**를 적어 보세요.

1) Henry's father fixed the lights when the lights went out. _____

2) Henry's mother brought out some candles. _____

3) Henry's father taught Henry the game he used to play. _____

How about the Crawling-Through Enemy-Lines game?

적진을 기어서 통과하기 게임은 어떠니?

쉬지 않고 휘파람을 부는 헨리에게 아빠는 휘파람을 멈추고 게임을 하는 것이 어떠냐고 물었지요. 이렇게 **"~은 어때요?"**라고 제안할 때는 how about 다음에 대상을 써서 말해요. 게임하기, 아이스크림 먹기, 노래하기와 같이 어떤 행동을 하자고 말할 때는 how about을 먼저 쓰고 동작 표현에 ing를 붙여서 함께 써요.

how about + [대상]?: ~은 어때요?

How about a cup of milk?
우유 한 잔 어때요?

How about a movie tomorrow?
내일 영화 한 편 어때요?

How about going to the beach?
해변에 가는 것은 어때요?

How about taking the subway?
지하철을 타는 것은 어때요?

우리말과 뜻이 통하도록 네모 안에 들어 있는 말을 바르게 배열해 보세요.

1. 이탈리아 음식을 먹는 것은 어때요?

Italian food	how about	eating
이탈리아 음식	~은 어때요?	먹는 것

How about eating
-- ?

2. 내일 점심 식사 어때요?

tomorrow	lunch	how about
내일	점심 식사	~은 어때요?

-- ?

3. 그녀를 위해 목도리를 사는 것은 어때요?

for her	how about	a scarf	buying
그녀를 위해	~은 어때요?	목도리	사는 것

-- ?

4. 네 선생님에게 말하는 것은 어때?

to your teacher	talking	how about
네 선생님에게	말하는 것	~은 어때?

-- ?

5. 그와 함께 그 식당을 방문하는 것은 어때요?

how about	with him	visiting	the restaurant
~은 어때요?	그와 함께	방문하는 것	그 식당

-- ?

VOCABULARY

듣다

hear

적

enemy

총격

fire

아버지

father

대포

cannon

끄덕이다 (과거형 nodded)

nod

건너다

cross

경계선 (enemy line 적진)

line

풀어 주다; 자유로운

free

손전등

flashlight

~을 조심하다

watch out for

전갈

scorpion

붙잡다 (과거형 grabbed)

grab

(땅에) 엎드리다 (과거형 dropped)

drop

바닥

floor

부엌

kitchen

용감하게

bravely

포로

prisoner

VOCABULARY QUIZ

1 알파벳을 연결해서 단어를 만들고, 알맞은 그림과 연결해 보세요.

2 빈칸에 알맞은 알파벳을 넣어 단어를 완성해 보세요.

__ave__ n__ w___h out for f_e_

f___r _la_li___ c__s_ _a_h_r

3 그림을 보고 알맞은 단어를 넣어 퍼즐을 완성해 보세요.

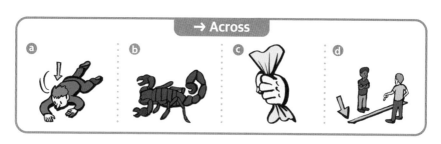

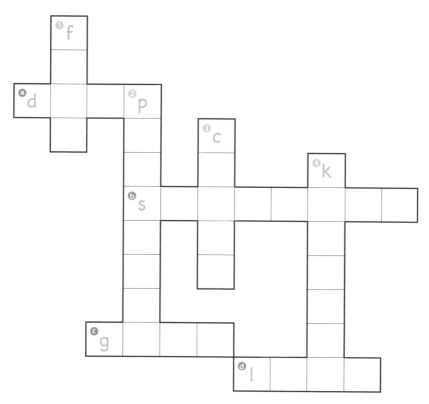

WRAP-UP QUIZ

1 이야기의 순서에 맞게 그림을 배열해 보세요.

a

Henry's father pretended to hear cannons and enemy fire.

b

Henry found his friend Mudge in the enemy camp.

c

Henry crawled across the kitchen.

d

Henry crawled across the dining room.

 ···▶ ···▶ ···▶

2 다음 질문에 알맞은 답을 선택해 보세요.

1) How did Henry react when his father mentioned a cannon and enemy fire?

   a. Henry laughed and did not believe it.

   b. Henry nodded and he was ready to play the game.

   c. Henry ignored his father's words.

2) What did Henry's father tell Henry to watch out for?

   a. Scorpions

   b. Spiders

   c. Snakes

3) What did Mudge do in the enemy camp?

   a. He put his head in the couch.

   b. He went under the couch.

   c. He curled his body under the coffee table.

3 책의 내용과 일치하면 **T**, 그렇지 않으면 **F**를 적어 보세요.

1) Henry was ready to free Mudge from the enemy couch. _____

2) Henry did not grab a flashlight. _____

3) Henry ran right into the enemy camp. _____

유용한 영어 표현

He **was ready to** free Mudge from the enemy couch.
그는 적군의 소파에서 머지를 구할 준비가 되었다.

게임을 하기로 한 헨리는 머지를 구하러 갈 준비가 되어 있었어요. 이렇게 **"~할 준비가 되어 있다"**라고 말할 때는 be ready to 다음에 동작을 나타내는 표현을 써요. 이때 be는 상황에 따라 모습이 변하지만, to 다음에 나오는 동작 표현은 언제나 원래 모습 그대로 써야 해요.

be ready to + [동작]: ~할 준비가 되어 있다

You **are ready to** go to school.
너는 학교에 갈 준비가 되어 있다.

She **is ready to** take a nap.
그녀는 낮잠을 잘 준비가 되어 있다.

The lion **was ready to** pounce on the bird.
그 사자는 새를 덮칠 준비가 되어 있었다.

The soldiers **were ready to** fight.
군인들은 싸울 준비가 되어 있었다.

우리말과 뜻이 통하도록 네모 안에 들어 있는 말을 바르게 배열해 보세요.

1. 나는 그 산을 오를 준비가 되어 있다.

am ready to	**the mountain**	**climb**	**I**
~할 준비가 되어 있다	그 산	오르다	나

I am ready to

-- .

2. 그는 내 질문에 대답할 준비가 되어 있다.

my question	**he**	**is ready to**	**answer**
내 질문	그	~할 준비가 되어 있다	대답하다

-- .

3. 우리는 그 공연을 즐길 준비가 되어 있다.

the show	**are ready to**	**we**	**enjoy**
그 공연	~할 준비가 되어 있다	우리	즐기다

-- .

4. 그 비행기는 이륙할 준비가 되어 있었다.

take off	**was ready to**	**the plane**
이륙하다	~할 준비가 되어 있었다	그 비행기

-- .

5. 그들은 바다로 갈 준비가 되어 있었다.

were ready to	**they**	**to the sea**	**go**
~할 준비가 되어 있었다	그들	바다로	가다

-- .

VOCABULARY

용감한

brave

들어 올리다

lift

흔들다 (과거형 wagged)

wag

꼬리

tail

당기다

pull

목걸이

collar

자유로운: 풀어 주다

free

공기

air

자유

freedom

양말

sock

구조원

rescuer

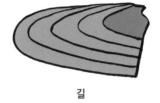

길

track

얼굴을 찌푸리다

frown

머무르다, 가만히 있다

stay

피하다

miss

전갈

scorpion

활짝 웃다 (과거형 grinned)

grin

웃다

laugh

VOCABULARY QUIZ

1 그림에 맞는 단어를 퍼즐에서 찾아 표시하고 단어를 써 보세요.

m	i	s	s	r	y	b	r	a	v	e
o	a	z	w	v	t	n	w	q	w	o
p	g	r	i	n	k	t	l	v	b	m
s	w	o	z	w	s	w	q	w	t	l
z	f	q	o	a	f	y	e	v	r	f
v	z	w	c	z	r	v	h	j	a	l
s	n	a	w	f	e	d	r	r	c	o
o	l	g	f	w	e	d	a	q	k	h
c	o	q	s	f	d	r	x	z	t	b
k	p	s	s	c	o	r	p	i	o	n
a	y	e	a	n	m	k	l	o	g	k

 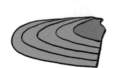  

2 그림에 맞는 단어를 연결하고 빈칸에 알맞은 알파벳을 넣어 보세요.

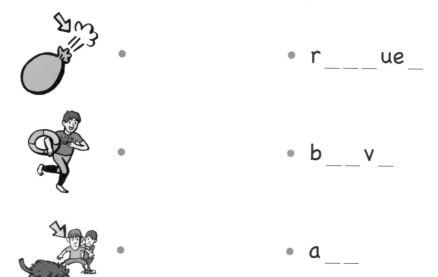

r _ _ _ ue _

b _ _ v _

a _ _

3 글자를 바르게 배열하여 단어를 완성해 보세요.

r n f w o   u l p l   a l r o l c   r e f e

_____   _____   _____   _____

h g u l a   l f i t   t y a s   l t a i

_____   _____   _____   _____

77

WRAP-UP QUIZ

1 이야기의 순서에 맞게 그림을 배열해 보세요.

a

Henry's father comforted Henry and Henry laughed.

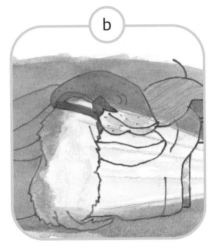

b

Mudge lifted an ear when he heard Henry calling his name.

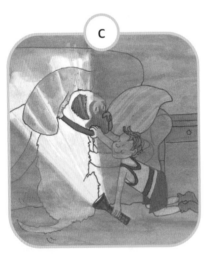

c

Henry crawled to Mudge and grabbed his collar.

d

Mudge went into the bathroom when he heard a loud noise.

 ···▶ ···▶ ···▶

2 다음 질문에 알맞은 답을 선택해 보세요.

1) What did Mudge do the first time Henry called his name?
   a. He ran outside.
   b. He did not move at all.
   c. He lifted one of his ears.

2) Which of the following did Mudge NOT sniff?
   a. The air of freedom
   b. Henry's socks
   c. Henry's flashlight

3) Why did Henry frown when Mudge walked away?
   a. Henry wanted Mudge to stay with him.
   b. Mudge shed a lot of his fur on the way.
   c. Henry's father laughed at him.

3 책의 내용과 일치하면 **T**, 그렇지 않으면 **F**를 적어 보세요.

1) Mudge wagged his tail when he heard his name. _____

2) Henry grabbed Mudge's ears as he said Mudge was free. _____

3) Henry's father made Henry feel better about Mudge. _____

PATTERN DRILL

Henry knew **where to** find Mudge.
헨리는 어디에서 머지를 찾아야 하는지 알고 있었다.

적진을 뚫고 머지를 구한 헨리! 하지만 머지는 바로 화장실로 도망쳐 버렸어요. 헨리는 실망했지만 금방 웃을 수 있었어요. 아빠가 말한 것처럼, 헨리는 어디에서 머지를 찾아야 할지 알고 있었거든요. 이렇게 **"어디에서 ~할지", "어디로 ~할지"**라고 말할 때는 where to 다음에 동작을 나타내는 표현을 원래 모습 그대로 써요.

where to + [동작]: 어디에서(어디로) ~할지 / ~하는지

They thought about **where to** go.
그들은 어디로 갈지에 대해 생각했다.

We asked him **where to** buy the tickets.
우리는 그에게 어디에서 표를 사는지 물었다.

He told me **where to** take the bus.
그는 나에게 어디에서 그 버스를 타야 하는지 알려 주었다.

My friends explained to me **where to** meet.
내 친구들은 어디에서 만날지 나에게 설명했다.

우리말과 뜻이 통하도록 네모 안에 들어 있는 말을 바르게 배열해 보세요.

1. 선생님은 어디에서 우리의 손을 씻어야 하는지 설명했다.

where to	the teacher	wash	our hands	explained
어디에서 ~하는지	선생님	씻다	우리의 손	설명했다

The teacher explained
- .

2. 그들은 어디에서 하이킹을 시작해야 하는지 알았다.

hiking	knew	where to	they	start
하이킹	알았다	어디에서 ~하는지	그들	시작하다

- .

3. 그녀는 어디에서 그 책을 찾아야 할지 궁금해했다.

find	where to	wondered	she	the book
찾다	어디에서 ~할지	궁금해했다	그녀	그 책

- .

4. 그는 어디에서 살지 결정했다.

where to	he	live	decided
어디에서 ~할지	그	살다	결정했다

- .

5. 우리는 어디에서 저녁을 먹을지에 대해 이야기한다.

talk about	we	where to	dinner	eat
~에 대해 이야기하다	우리	어디에서 ~할지	저녁	먹다

- .

VOCABULARY

나머지; 쉬다

rest

폭풍

storm

부엌

kitchen

~와 함께

with

촛불

candlelight

아주 작은

tiny

전등

light

하늘

sky

맑아지다

clear

화장실

bathroom

흔들다

wag

크래커

cracker

공장

factory

킁킁거리다

sniff

젖은, 축축한

wet

나뭇잎 (복수형 leaves)

leaf

그림

painting

무지개

rainbow

VOCABULARY QUIZ

1 알파벳을 연결해서 단어를 만들고, 알맞은 그림과 연결해 보세요.

2 빈칸에 알맞은 알파벳을 넣어 단어를 완성해 보세요.

r _ _ t   f _ _ t _ ry   k _ t _ he _   _ e _

p _ in _ _ ng   r _ in _ w   w _ _   c _ _ dle _ igh _

3 그림을 보고 알맞은 단어를 넣어 퍼즐을 완성해 보세요.

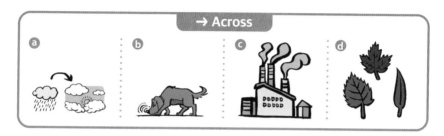

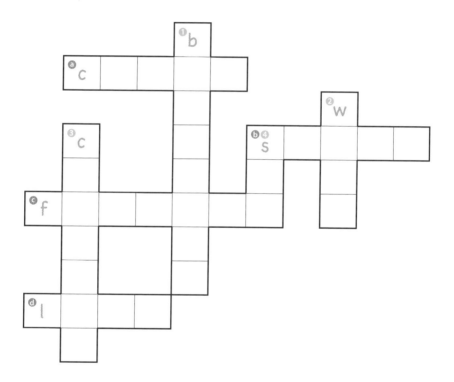

WRAP-UP QUIZ

1 이야기의 순서에 맞게 그림을 배열해 보세요.

a

Henry and Mudge saw a beautiful rainbow in the sky.

b

Henry played cards with his parents.

c

When the sky cleared, Mudge came out of the bathroom.

d

Henry and Mudge went outside to enjoy the fresh air.

 ···▶ ···▶ ···▶

2 다음 질문에 알맞은 답을 선택해 보세요.

1) What did Henry do at the kitchen table?

   a. He did his homework.

   b. He had dinner with Mudge.

   c. He played cards with his parents.

2) What did NOT happen when the lights came back on?

   a. The sky cleared.

   b. Mudge came out of the bathroom.

   c. It was still raining.

3) What did Henry and Mudge see when they went outside?

   a. A nice, tiny moon

   b. A big, yellow sun

   c. A great, giant rainbow

3 책의 내용과 일치하면 **T**, 그렇지 않으면 **F**를 적어 보세요.

1) Henry played cards by candlelight. _____

2) Mudge did not leave the bathroom until bedtime. _____

3) Henry and Mudge went outside when the sky cleared. _____

A great, giant rainbow rose up **above** their heads.
멋지고, 커다란 무지개가 그들의 머리 위로 떠올랐다.

밖으로 나간 헨리와 머지의 머리 위로 커다란 무지개가 펼쳐졌어요. 이렇게 **"~보다 위에"**, **"~ 위로"**라는 뜻으로 위치를 나타낼 때는 above 다음에 기준이 되는 대상을 써서 말해요. above는 직접 닿지 않은 상태일 때 사용하는 표현이에요. '책상 위에 있는 물건'이나 '바닥 위에 떨어진 공'처럼 대상에 직접 닿아 있을 때는 above가 아니라 on을 써야 해요.

above + [대상]: ~보다 위에 / ~ 위로

The sun is **above** the sea.
태양이 바다 위에 있다.

Airplanes fly **above** the clouds.
비행기는 구름 위로 난다.

We saw the moon **above** the trees.
우리는 나무들 위로 달을 보았다.

He waved the flag **above** his head.
그는 자신의 머리 위로 그 깃발을 흔들었다.

우리말과 뜻이 통하도록 네모 안에 들어 있는 말을 바르게 배열해 보세요.

1. 그 여자아이는 그녀의 머리 위로 그 공을 들어 올렸다.

her head	above	the girl	held	the ball
그녀의 머리	~ 위로	그 여자아이	들어 올렸다	그 공

The girl held _____ .

2. 독수리들이 산 위로 날아간다.

the eagles	above	the mountain	fly
독수리들	~ 위로	산	날아간다

_____ .

3. 탁자 위로 창문 한 개가 있다.

above	the table	there is	a window
~ 위로	탁자	~이 있다	창문 한 개

_____ .

4. 그들은 그 사진을 거울보다 위에 걸었다.

the picture	the mirror	hung	above	they
그 사진	거울	걸었다	~보다 위에	그들

_____ .

5. 그 고층 빌딩은 다른 건물들 위로 높이 솟아 있었다.

above	the skyscraper	towered	the other buildings
~ 위로	그 고층 빌딩	높이 솟아 있었다	다른 건물들

_____ .

ANSWERS

Part 1

Vocabulary Quiz

1.

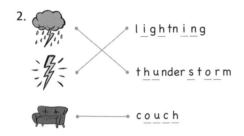

q	f	c	v	b	n	m	q	w	r	y
v	l	b	m	p	l	a	y	z	t	j
w	a	z	r	q	x	f	t	x	f	r
e	p	s	d	v	v	g	f	c	r	i
r	z	q	r	x	d	f	u	v	s	p
j	r	s	u	m	m	e	r	z	q	p
u	t	g	e	q	w	t	y	n	m	l
m	y	f	l	x	v	a	l	o	n	e
p	z	d	k	c	e	r	t	y	u	i
y	x	c	z	w	w	r	y	k	o	l
p	b	l	o	w	a	s	f	g	b	m

2.

lightning

thunderstorm

couch

3. blow / wet / strange / kitchen
   hat / bathroom / hot / whistle

Wrap-up Quiz

1. b ⋯→ c ⋯→ d ⋯→ a
2. 1) c   2) a   3) a
3. 1) F   2) T   3) F

Pattern Drill

1. The line is even longer than usual.
2. We studied even harder.
3. They became even richer.
4. The weather is even colder than
   yesterday.

Part 2

Vocabulary Quiz

1.

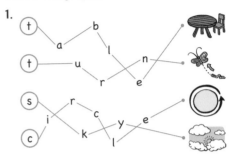

2. rain / dark / turn on / look at
   follow / each other / tea / walk

3.

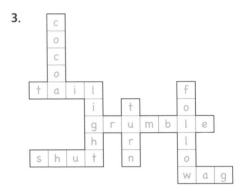

Wrap-up Quiz

1. a ⋯→ c ⋯→ b ⋯→ d
2. 1) b   2) c   3) a
3. 1) F   2) T   3) F

Pattern Drill

1. My mother went to have lunch.
2. They go to buy ice cream.
3. We go to see the tennis final.
4. He went to find his children.
5. I went to open my bank account.

Part 3

Vocabulary Quiz

1.

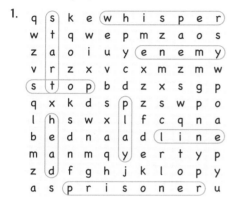

2.

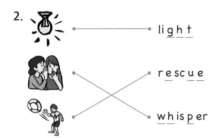

- li g h t
- r e sc u e
- wh is p er

3. crawl / couch / round / fifth
candle / ask / living room / camp

Wrap-up Quiz

1. a ⋯→ d ⋯→ b ⋯→ c
2. 1) a   2) c   3) b
3. 1) F   2) T   3) F

Pattern Drill

1. How about eating Italian food?
2. How about lunch tomorrow?
3. How about buying a scarf for her?
4. How about talking to your teacher?
5. How about visiting the restaurant with him?

Part 4

Vocabulary Quiz

1.

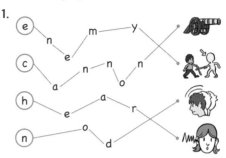

2. bravely / nod / watch out for / free
floor / flashlight / cross / father

3.

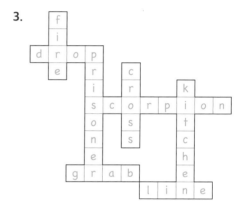

Wrap-up Quiz

1. a ⋯→ c ⋯→ d ⋯→ b
2. 1) b   2) a   3) a
3. 1) T   2) F   3) F

Pattern Drill

1. I am ready to climb the mountain.
2. He is ready to answer my question.
3. We are ready to enjoy the show.
4. The plane was ready to take off.
5. They were ready to go to the sea.

ANSWERS

Part 5

Vocabulary Quiz

1.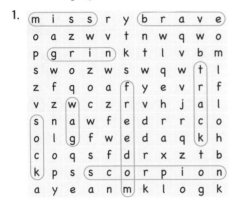

2.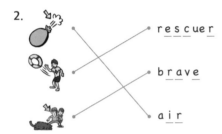

   r e s c u e r

   b r a v e

   a i r

3. frown / pull / collar / free
   laugh / lift / stay / tail

Wrap-up Quiz

1. b ⟶ c ⟶ d ⟶ a

2. 1) c   2) c   3) a

3. 1) F   2) F   3) T

Pattern Drill

1. The teacher explained where to wash our hands.

2. They knew where to start hiking.

3. She wondered where to find the book.

4. He decided where to live.

5. We talk about where to eat dinner.

Part 6

Vocabulary Quiz

1.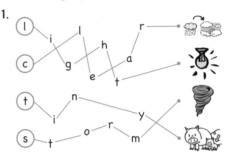

2. rest / factory / kitchen / wet
   painting / rainbow / wag / candlelight

3.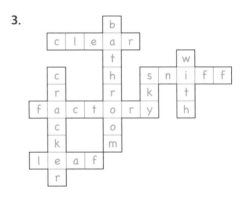

Wrap-up Quiz

1. b ⟶ c ⟶ d ⟶ a

2. 1) c   2) c   3) c

3. 1) T   2) F   3) T

Pattern Drill

1. The girl held the ball above her head.

2. The eagles fly above the mountain.

3. There is a window above the table.

4. They hung the picture above the mirror.

5. The skyscraper towered above the other buildings.

HENRY AND MUDGE

**학부모와 학습자들이 강력 추천하는 필독 원서,
『헨리와 머지 (Henry and Mudge)』 시리즈!**

훨씬 더 넓어진 판형과 가독성을 극대화한 영문 서체로 새롭게 출간되었습니다

『헨리와 머지 (Henry and Mudge)』 시리즈는 소년 헨리와 커다란 개 머지가
소소한 일상 속에서 우정을 쌓아 가는 모습을 따뜻한 시선으로 그려낸 책입니다.
48페이지 이하의 부담 없는 분량에 귀엽고 포근한 느낌의 그림이 더해졌고,
짧고 반복되는 문장으로 이루어져 완독 경험이 없는 초급 영어 학습자도 즐겁게 읽을 수 있습니다.
롱테일북스의 『헨리와 머지 (Henry and Mudge)』 시리즈로 원서 읽는 습관을 시작해 보세요!

헨리 와 머지
그리고 사나운 바람

초판 발행	2021년 1월 15일
글	신시아 라일런트
그림	수시 스티븐슨
번역및콘텐츠감수	정소이 박새미 유아름
콘텐츠제작참여	최선민 선생님(충남 보령 성주초) 김수정 선생님(경기 부천 부인초)
	권재범 선생님(충남 계룡 금암초) 박은정 선생님
책임편집	정소이 박새미 김보경
디자인	모희정 김진영
저작권	김보경
마케팅	김보미 정경훈
펴낸이	이수영
펴낸곳	(주)롱테일북스
출판등록	제2015-000191호
주소	04043 서울특별시 마포구 양화로 12길 16-9(서교동) 북앤빌딩 3층
전자메일	helper@longtailbooks.co.kr
ISBN	979-11-86701-79-9 14740

롱테일북스는 (주)북하우스 퍼블리셔스의 계열사입니다.

이 도서의 국립중앙도서관 출판예정도서목록(CIP)은 서지정보유통지원시스템 홈페이지(http://seoji.nl.go.kr)와 국가자료종합목록 구축시스템(http://kolis-net.nl.go.kr)에서 이용하실 수 있습니다. (CIP 제어번호 : CIP2020053072)